J'habite ici

Photos des agences
Bios-Phone
Corbis
Cosmos
Hoaqui Jacana Explorer
Photos 12
Rapho
Top

D1267324

MILAN
jeunesse

Les maisons sont souvent construites selon le climat et les matériaux qu'on trouve dans chaque pays. Ici, du bois fin en **MALAISIE**...

... Et dans cette forêt **SUÉDOISE**, on coupe de gros arbres pour faire des maisons traditionnelles en rondins de bois.

Au **PÉROU**, ces Indiens construisent des huttes faites de roseaux, sur de petites îles du lac Titicaca.

En **MALAISIE**, cette famille vit dans une cabane sur pilotis.
Ce sont de longs morceaux de bois plantés dans le sol.

Ces enfants pauvres habitent les **PHILIPPINES**. Dans leur quartier, ces maisons en bois sont construites sur un marécage.

Regarde cette maison-bateau du **VIETNAM** ! Bien que toute petite, elle est aménagée pour pouvoir y dormir, manger…

Voici une hutte traditionnelle d'**AFRIQUE DU SUD**. Facilement démontable, elle est construite en bois et en nattes tressées.

Aujourd'hui, dans ce même pays, on préfère plutôt les « MAISONS CITROUILLES ». Elle sont faites en tôle et peuvent aussi se déplacer.

En **ISLANDE**, il y a peu de soleil ! Cette maison a beaucoup de fenêtres pour laisser entrer le plus de lumière possible.

Cette tente de **SIBÉRIE** est faite en peau de renne.
Elle s'appelle une *tchoum*, se monte et se démonte facilement.

Cet igloo du **GROENLAND** est construit avec des blocs de glace empilés. Ainsi, la chaleur reste à l'intérieur.

Autrefois, cet habitat facile à construire était très utilisé pour partir à la chasse, comme ici dans le Grand Nord **CANADIEN**.

Dans cette yourte de **MONGOLIE**, il n'y a qu'une seule pièce.
Elle est organisée autour du fourneau où chauffe le repas.

Voici une tente bédouine, dans le **DÉSERT DU SAHARA**. Les Bédouins sont un peuple nomade, c'est-à-dire qu'ils se déplacent souvent.

Au **MAROC** et dans d'autres pays arabes, la vieille ville s'appelle la *médina*. C'est un vrai labyrinthe de ruelles !

Dans cette rue d'un village **INDIEN**, les maisons n'ont pas
de fenêtre pour se protéger de la chaleur.

Au **CAMEROUN**, ce peuple vit dans des huttes
dont les toits sont faits de paille et les murs de boue séchée.

Voici à quoi ressemble un habitat traditionnel au **MALI**.
Ce bâtiment est presque entièrement construit avec de la terre !

Au **GHANA**, ces femmes décorent les maisons faites en argile.
Regarde, elles ont même fait des crocodiles en relief !

Incroyable ! Certains peuples, comme les Dogons du **MALI**, ont construit leurs habitations en terre au creux des falaises.

À chaque saison, le peuple kazakh de **MONGOLIE** change de lieu et d'habitation. Celle-ci est faite avec des briques de boue.

Une maison qui bouge ! Tirée par une voiture, cette caravane peut traverser tous les **ÉTATS-UNIS** et s'arrêter partout.

Ici, au **PAKISTAN**, les habitants ont utilisé des pierres fines, posées les unes sur les autres, pour constuire leur maison.

Dans cette maison du **NÉPAL**, les habitants ont surtout utilisé du bois. Sol, plafond, meubles, il y en a partout !

Dans cette oasis d'**ÉGYPTE**, dessiner et écrire sur les murs
est considéré comme un art.

En **AFRIQUE DU SUD**, les femmes artistes du peuple ndbele
peignent les maisons avec des motifs traditionnels.

Aujourd'hui, en **FRANCE** et ailleurs, il y a de moins en moins de monde qui habite dans des fermes à la campagne.

De plus en plus souvent, comme ici au **LIBAN**, les gens viennent dans les villes pour trouver du travail.

En **ARGENTINE**, cet immeuble est fait de tôles. C'est un matériau qui ne coûte pas très cher et qu'on peut peindre facilement.

Dans les villes modernes, comme Tokyo au **JAPON**, on construit des immeubles très hauts pour y loger beaucoup de gens.

En **INDE** et ailleurs, beaucoup de gens pauvres vivent dans des bidonvilles. Ce sont des abris construits avec des matériaux récupérés.

En Afrique, cette région de **NAMIBIE** est très désertique
et très pauvre. Les huttes sont faites de terre séchée et de bois.

Sur les îles **GRECQUES**, il y a plein de maisons toutes blanches peintes à la chaux. Cette couleur repousse un peu la chaleur.

Dans ce vieux village des montagnes **TUNISIENNES**,
on construisait beaucoup d'habitations à même la roche.

Bois sculpté, peintures murales… Dans les monastères bouddhistes
du **BHOUTAN**, l'art de la décoration fait partie des traditions.